6 这是我的书 It's MY BOOK

6级：300字

小诗人妹妹

作者：程以克（Vicki Cheng）
插图：孔德晴（Deqing Kong）

U1002980

北京语言大学出版社
BEIJING LANGUAGE AND CULTURE UNIVERSITY PRESS

PHOENIX TREE
PHOENIX TREE PUBLISHING INC.

识读 睡 耳朵 眼睛 脚

唱歌

句型 想……吗?

字数 302字

wǒ de mèi mei wǔ suì le dà jiā dōu jiào tā xiǎo
我的妹妹五岁了，大家都叫她“小
shī rén yīn wèi tā shuō huà zǒng shì xiàng shī rén yí
诗人”，因为她说话总是像诗人一
yàng
样。

fēng chuī guò hé miàn rén men shuō qǐ fēng le mèi
风吹过河面，人们说：“起风了”，妹
mei shuō fēngr qù xǐ zǎo le tài yáng xià shān hòu
妹说：“风儿去洗澡了”；太阳下山后，
rén men shuō tiān hēi le mèi mei shuō dì qiú mā
人们说：“天黑了”，妹妹说：“地球妈
ma shuì zháo le xīng xing luò zài xiǎo é de jiǎo xià
妈睡着了，星星落在小鹅的脚下”。

lù biān yǒu gēn lú wěi mèi mei shí qi lai wèn zhè
路边有根芦苇，妹妹拾起来问：“这

shì shéi de yǔ máo shù shang zhǎng zhe mó gu mèi
是谁的羽毛？”树上长着蘑菇，妹

mei duì mó gu shuō dà shù de xiǎo ěr duo men
妹对蘑菇说：“大树的小耳朵们，

nǐ men xiǎng tīng wǒ chàng gē ma
你们想听我唱歌吗？”

chūn tiān de zǎo shang mèi mei zhàn zài dà piàn qīng cǎo dì shang
春天的早上，妹妹站在大片青草地上，
zhāng kai shuāng shǒu bì zhe yǎn jing kuài lè de shuō zhè
张开双手，闭着眼睛，快乐地说：“这
li duō me xiàng lǜ sè de dà hǎi xià tiān de bàng wǎn
里多么像绿色的大海！”夏天的傍晚，
yáng guāng chuān guò shù yè hóng yún piāo zài dà shù hòu miàn
阳光穿过树叶，红云飘在大树后面，
mèi mei shuō dà shù zhǎng le hǎo duō hóng yǎn jing
妹妹说：“大树长了好多红眼睛。”

qiū tiān shù yè yǒu de biàn hóng le yǒu de biàn huáng
秋天，树叶有的变红了，有的变黄

le mèi mei shuō tiān shang lái le gè dà huà jiā
了，妹妹说："天上来了个大画家。"

yuè liang biàn yuán le mèi mei shuō yuè liang jīn tiān
月亮变圆了，妹妹说："月亮今天

zhǎng pàng le
长胖了。"

bái yún zài tiān shang mèi mei shuō nà shì tiān kōng
白云在天上，妹妹说："那是天空

de shé tou liú xīng fēi guò mèi mèi pǎo qi lai
的舌头。"流星飞过，妹妹跑起来：

bái sè de wěi ba pǎo a pǎo mèi mei zhuā yě zhuā
"白色的尾巴跑啊跑，妹妹抓也抓

bu dào
不到！"

mā ma shuō mèi mei yǐ hòu kě néng huì ài shang xiě

妈妈说：“妹妹以后可能会爱上写

shī ne bà ba shuō shì a zuò shī rén jiù

诗呢！”爸爸说：“是啊，做诗人就

yào yǒu mèi mei zhè yàng de yǎn jing

要有妹妹这样的眼睛。”

1 我的妹妹五岁了，大家都叫她“小诗人”，因为她说话总是像诗人一样。

2 风吹过河面，人们说：“起风了”，妹妹说：“风儿去洗澡了”；太阳下山后，人们说：“天黑了”，妹妹说：“地球妈妈睡着了，星星落在小鹅的脚下”。

3 路边有根芦苇，妹妹拾起来问：“这是谁的羽毛？”树上长着蘑菇，妹妹对蘑菇说：“大树的小耳朵们，你们想听我唱歌吗？”

4 春天的早上，妹妹站在大片青草地上，张开双手，闭着眼睛，快乐地说：“这里多么像绿色的大海！”夏天的傍晚，阳光穿过树叶，红云飘在大树后面，妹妹说：“大树长了好多红眼睛。”

5 秋天，树叶有的变红了，有的变黄了，妹妹说：“天上来了个大画家。”月亮变圆了，妹妹说：“月亮今天长胖了。”

6 白云在天上，妹妹说：“那是天空的舌头。”流星飞过，妹妹跑起来：“白色的尾巴跑啊跑，妹妹抓也抓不到！”

7 妈妈说：“妹妹以后可能会爱上写诗呢！”爸爸说：“是啊，做诗人就要有妹妹这样的眼睛。”

1

2

3

4

5

6

看图讲故事

7